Max
que c'est pas juste

Série dirigée par Dominique de Saint Mars

© Calligram 2008
Tous droits réservés pour tous pays
Imprimé en Italie
ISBN : 978-2-88480-420-2

Ainsi va la vie

Max trouve
que c'est pas juste

Dominique de Saint Mars

Serge Bloch

CALLIGRAM

CHRISTIAN ○ GALLIMARD

7

8

9

Mais la vie est injuste !
Il y a des faibles, des moches,
des handicapés, des pauvres,
des qui savent pas lire,
des malades, des
que personne
n'aime, des...

C'est pour ça qu'on
a inventé la justice,
Fathia !

C'est quoi, au
juste, la justice ?

Ce sont des règles
faites par les hommes
et auxquelles tout le monde
doit obéir. C'est justement
pour protéger les faibles,
pour que le plus fort
ne fasse pas sa loi...

DRIINGGGGG !!!
N'oubliez pas le contrôle
des capitales !

10

11

13

15

Je t'aide à réviser ? On se rabiboche ?

Ouais, d'accord, c'est moi qui ai commencé. J'aurais dû avouer, je l'ai pas fait...

Lituanie : Vilnius.

Je te demande pardon.

Il n'y a pas que ça...

Italie : Rome...

Tu parles de LA frite ? Je te fais la tête, moi, quand Papa te donne plus de glace ?

Fais pas ton innocente, la chouchoute !

Belgique : Madrid... non, Bruxelles !

Pffttt ! T'es qu'un rancunier !

Allemagne : Berlin.

France : Paris.

17

Tu portes mon cartable, mon Maxounet ? Je suis fatiguée...

OK, j'accepte ! Par solidarité, Lili !

20

21

C'EST VENDREDI...
Max et Kim, vous êtes les seuls à avoir tout bon ! Et à avoir les mêmes fautes d'orthographe !
Bucarest avec un K et Sofia avec PH et Lisbonne avec un Z !
Qui a copié sur qui ?
?!
Tu as copié sur Kim, Max ?
Non, maîtresse !
Pourquoi tu es toute rouge, Kim ?
Parce que... parce que... vous me soupçonnez, maîtresse.

* Retrouve Max dans *Max a triché*, n° 15.

23

C'est bizarre, ces fautes...
À ta place, moi, j'avouerais.

Mais j'ai rien fait !
J'ai pas copié sur toi !

Qui va te croire ?

C'est vrai que le violon est ton instrument préféré, Max ?

Tu m'as pas dit que tu aimerais me voir jouer ?

Tu sais, Max, moi, j'ai jamais eu de zéro...

Toi, les mauvaises notes... Qu'est-ce que ça peut te faire d'avouer ?

Mais j'ai rien fait !

Et alors ? Nous, les filles, on aime les garçons courageux... Tu peux pas avouer... pour moi ?

Max, je sais que tu es courageux. Ah... au fait, je viens te voir jouer au foot, samedi !

T'as l'air triste... C'est à cause de Kim ?

AU MÊME MOMENT CHEZ KIM

Qu'est-ce que tu as, Kim ? Tu n'écoutes pas aujourd'hui !

Tu sais... tu peux me dire tes secrets les plus secrets !

Je sais... mais même toi, tu me croiras pas.

DÎNER !

29

32

33

Non !

Mes parents sont tellement fiers de moi... Je ne peux pas les décevoir...

J'ai fait des efforts pour ce contrôle, Kim ! Moi aussi je veux que mes parents soient fiers de moi... Je leur ai déjà dit que j'avais tout bon...

Si je fais ce que tu me demandes, j'aurai l'air de quoi ?

C'EST DES MENTEURS !
FAUT LEUR METTRE ZÉRO
À TOUS LES DEUX !

Je ne suis pas
d'accord, Nicolas !
Max n'a pas menti pour
lui mais pour protéger Kim.

Et Kim a eu le courage
de dire la vérité !

Je suis d'accord !
Faute avouée, faute à moitié
pardonnée !

Voici ta copie, Max !
Kim, tu repasseras
le contrôle demain,
après la classe.

Juliette, tu veux
venir goûter chez
moi dimanche ?

Y aura de
la glace !

37

40

Et toi...
Est-ce qu'il t'est arrivé la même histoire qu'à Max ?

Trouves-tu que tes parents te font des reproches alors qu'ils félicitent tes frères et sœurs ? Que tu es moins gâté ?

Tu n'arrives pas à avoir de bonnes notes, alors que tu travailles ? Tu es rejeté, alors que tu essaies d'être gentil ?

Tu trouves pas juste qu'il y ait des guerres ? Des pays pauvres ? Des enfants qui ont faim ? Ne vont pas à l'école

Comment réagis-tu aux injustices ? Tu souffres ?
Tu te révoltes ? Tu es violent ? Tu te tais ? Tu discutes ?

Tu es injuste à ton tour ? Ou tu essaies de changer
ce que tu peux changer en toi et autour de toi ?

Quand tu te plains d'une injustice ? On t'écoute ?
Ou on se moque de toi ? On te traite de « parano » ?

Tu te sens aimé ? Dans ta famille ? À l'école ? Tu n'es pas stressé ? Tu as des amis ? Tu pardonnes facilement ?

Quand tu souffres, tu en parles, tu sais te faire aider ? Discuter ? Faire des compromis ? Tu sais te défendre ?

Tu es plus sensible aux injustices qu'on fait aux autres qu'à celles qu'on te fait ? Sais-tu dire pourquoi ?

Tu respectes les règles ? Tu sais aussi les faire respecter ?
Connais-tu tes droits ? Les revendiques-tu ?

Tu as déjà été victime d'une injustice ? On t'a demandé
pardon ? Sinon, ça t'a appris des choses ?

Tu t'en fiches d'être injuste ? Tu règles TA justice
par la force ? Tu préfères être bourreau que victime ?

**Après avoir réfléchi
à ces questions
sur l'injustice,
tu peux en parler
avec tes parents ou tes amis.**